Spud y D

"Reit, 'te. Rydyn ni'n gweithio ar dŷ Mrs Potts heddiw," dywedodd Bob wrth iddo roi rholyn o ddeunydd i mewn i bwced Muck.

"Beth yw'r stwff pinc 'na, Bob?" gofynnodd Muck.

"Rhywbeth i ynysu atig Mrs Potts," eglurodd Wendy. "Bydd e'n rhwystro'r gwres rhag dianc drwy'r to."

"Allwn ni ei wneud e?" gofynnodd Scoop.

"Gallwn, wir!" atebodd Muck, Dizzy, Wendy a Bob.

"Mm … Dw i'n meddwl," dywedodd Lofty.

Draw yn yr ysgol, roedd Spud wedi dod ag ysgol ddringo i Mrs Percival.

"O, diolch i ti, Spud," dywedodd hi. "Bydd hon yn wych ar gyfer sioe'r ysgol," a rhuthrodd i ffwrdd i gael popeth yn barod.

Wrth iddo fynd allan o fuarth yr ysgol, sylwodd Spud ar fwndel o hen ddillad-gwisgo-i-fyny ar y bwrdd.

"Wel, edrychwch ar y rhain," dywedodd, gan gydio mewn clwtyn llygad a sgarff.

"Ahoi! Fi yw Spud y Môr-leidr! A-har!" gwaeddodd gan gydio mewn cleddyf a'i chwifio o gwmpas.

Yna, sylwodd Spud ar geffyl pren a het cowboi ar y bwrdd a newidiodd yn syth i fod yn Spud y Cowboi.

"I ffwrdd â ni!" gwaeddodd a charlamu o gwmpas y buarth nes iddo weld gwisg fawr werdd.

"Beth yn y byd yw hwn?" gofynnodd, gan gropian i mewn i'r wisg a throi'n …

... Spud y Ddraig!

"**Grrrrrrr!**" rhuodd Spud, gan redeg o gwmpas y buarth. "Dw i'n siŵr y bydd Mrs Percival yn fodlon i fi gael benthyg y wisg hon am ychydig."

Gwelodd Spud y Ddraig Muck ar ei ffordd yn ôl i'r iard.

"Hi, hi, hi! Fe gawn ni dipyn o hwyl nawr!" chwarddodd Spud yn ddireidus.

"P-p-p-pwy wyt ti?" gofynnodd Muck mewn braw.

"Y ddraig hud," atebodd Spud. "Fe gei di un dymuniad os gwnei di gau dy lygaid."

Felly caeodd Muck ei lygaid a meddwl yn galed.

"Hoffwn i ...," dywedodd Muck wedi cynhyrfu, "hoffwn i fod ddwywaith y maint ydw i ar hyn o bryd er mwyn i mi allu symud llwythi mawr o fwd."

Dechreuodd Spud dynnu llun trwyn mawr du a wisgers ar wyneb Muck heb yn wybod iddo. Ceisiodd ei orau i beidio chwerthin.

"Mm," aeth Muck yn ei flaen, "neu beth am ... hoffwn i petawn i ddim yn ofni'r tywyllwch ..."

Ychwanegodd Spud streipiau i wyneb Muck, a wisgers hir fel rhai cath.

"Cadwa dy lygaid ar gau!" sibrydodd Spud. Ac yna, rhedodd i ffwrdd!

"Helô?" dywedodd Muck. "Ydych chi yno?" Agorodd Muck ei lygaid yn araf.

"Mae hi wedi diflannu!" dywedodd yn syn. "Waw! Felly, roedd hi **yn** ddraig hud wedi'r cyfan. Ond beth am fy nymuniad i?"

Rhuthrodd yn ôl i'r iard i weld a oedd ei ddymuniad e wedi dod yn wir ...

... Ond cyn gynted ag y cyrhaeddodd Muck yr iard, dechreuodd y peiriannau eraill chwerthin yn uchel.

"Beth sy ar dy wyneb di, Muck?" gofynnodd Dizzy, gan chwerthin.

"Beth sy 'na? Mwd?" gofynnodd e.

"Na! Mae wyneb cath gyda ti!" chwarddodd Scoop.

"Tybed ai'r ddraig wnaeth hyn?" dywedodd Muck.

Roedd Dizzy, Scoop a Roley wedi drysu'n lân.

Roedd Bob a Wendy'n gweithio yn atig tŷ Mrs Potts. Roedden nhw wedi dod o hyd i lawer o bethau diddorol yno – dillad, teganau a darnau o ddefnydd.

"Bydda'n ofalus, Bob," dywedodd Wendy am y canfed tro. "Rhaid i ti sefyll ar y trawstiau neu byddi di'n ..."

"**Aaaaaaa!**" sgrechiodd Bob wrth i'w droed fynd drwy'r llawr.

"O, diar!" dywedodd Mrs Potts. "Edrycha ar y nenfwd!"

"**Allwn ni ei drwsio?**" gofynnodd Wendy.

"**Wel ... gallwn, wir!**" atebodd Bob mewn llais tawelach nag arfer.

Galwodd Wendy am help Lofty.

"Efallai bydd angen mwy o baent a phlaster," dywedodd hi. "Alli di fynd yn ôl i'r iard i gael peth – rhag ofn?"

"Iawn, Wendy," atebodd Lofty. Ond pan oedd Lofty ar ei ffordd yn ôl i'r iard, gwelodd rywbeth dychrynllyd – draig gyda llygaid fel peli anferth!

"**Grrrrrrrr!**" ysgyrnygodd Spud y Ddraig.

"**Aaaaaaaa!**" sgrechiodd Lofty.

Rhedodd Lofty yn ôl i dŷ Mrs Potts nerth ei draed.

Roedd Bob wedi llwyddo i gael ei goes yn rhydd ac roedd e'n trwsio nenfwd Mrs Potts. Roedd Wendy yn yr atig yn gosod y deunydd ynysu.

"Dyna ni, Mrs Potts," dywedodd Bob o'r diwedd. "Rydyn ni wedi gorffen, a doedd dim angen y paent a'r plaster wedi'r cyfan."

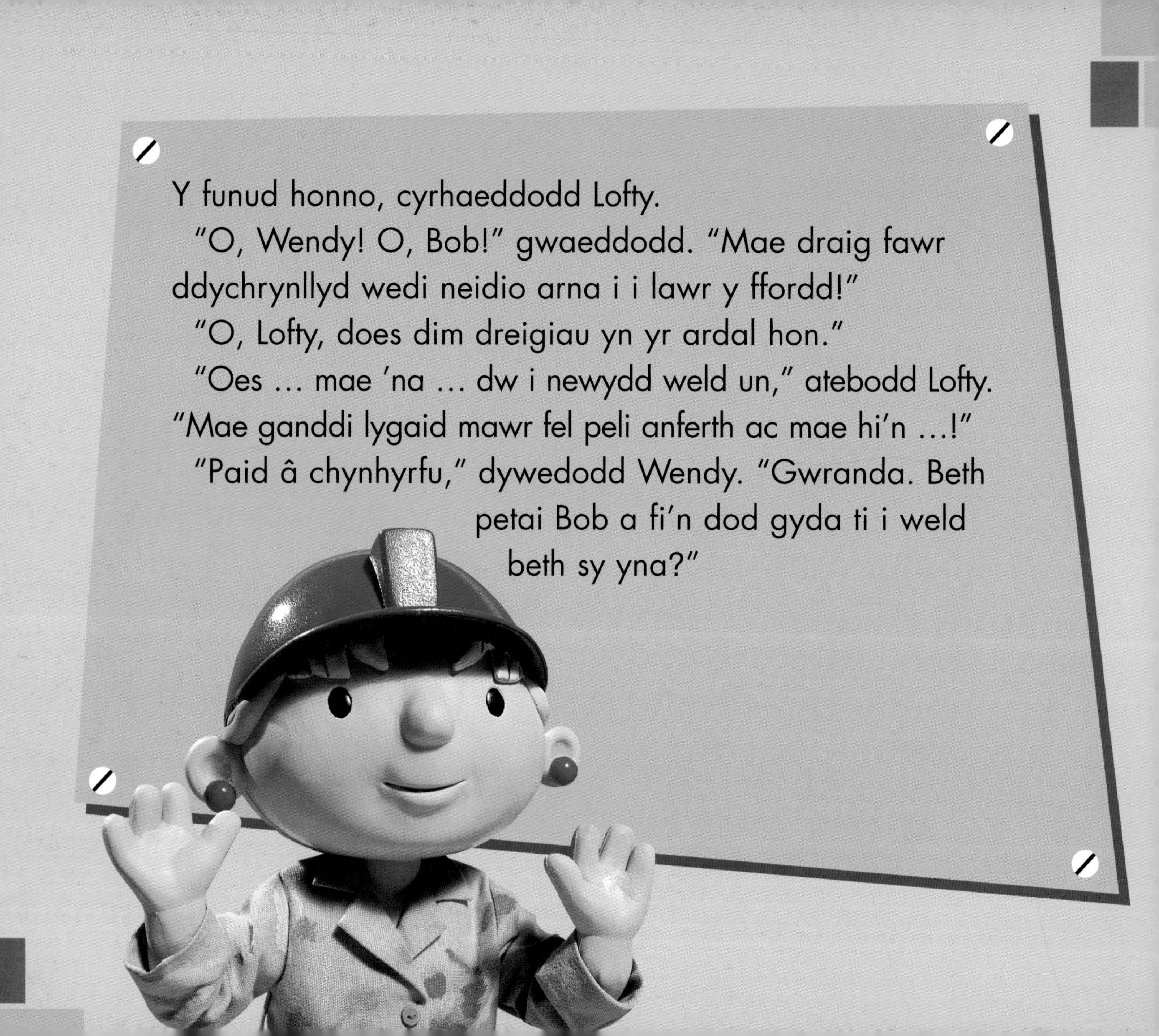

Y funud honno, cyrhaeddodd Lofty.

"O, Wendy! O, Bob!" gwaeddodd. "Mae draig fawr ddychrynllyd wedi neidio arna i i lawr y ffordd!"

"O, Lofty, does dim dreigiau yn yr ardal hon."

"Oes … mae 'na … dw i newydd weld un," atebodd Lofty. "Mae ganddi lygaid mawr fel peli anferth ac mae hi'n …!"

"Paid â chynhyrfu," dywedodd Wendy. "Gwranda. Beth petai Bob a fi'n dod gyda ti i weld beth sy yna?"

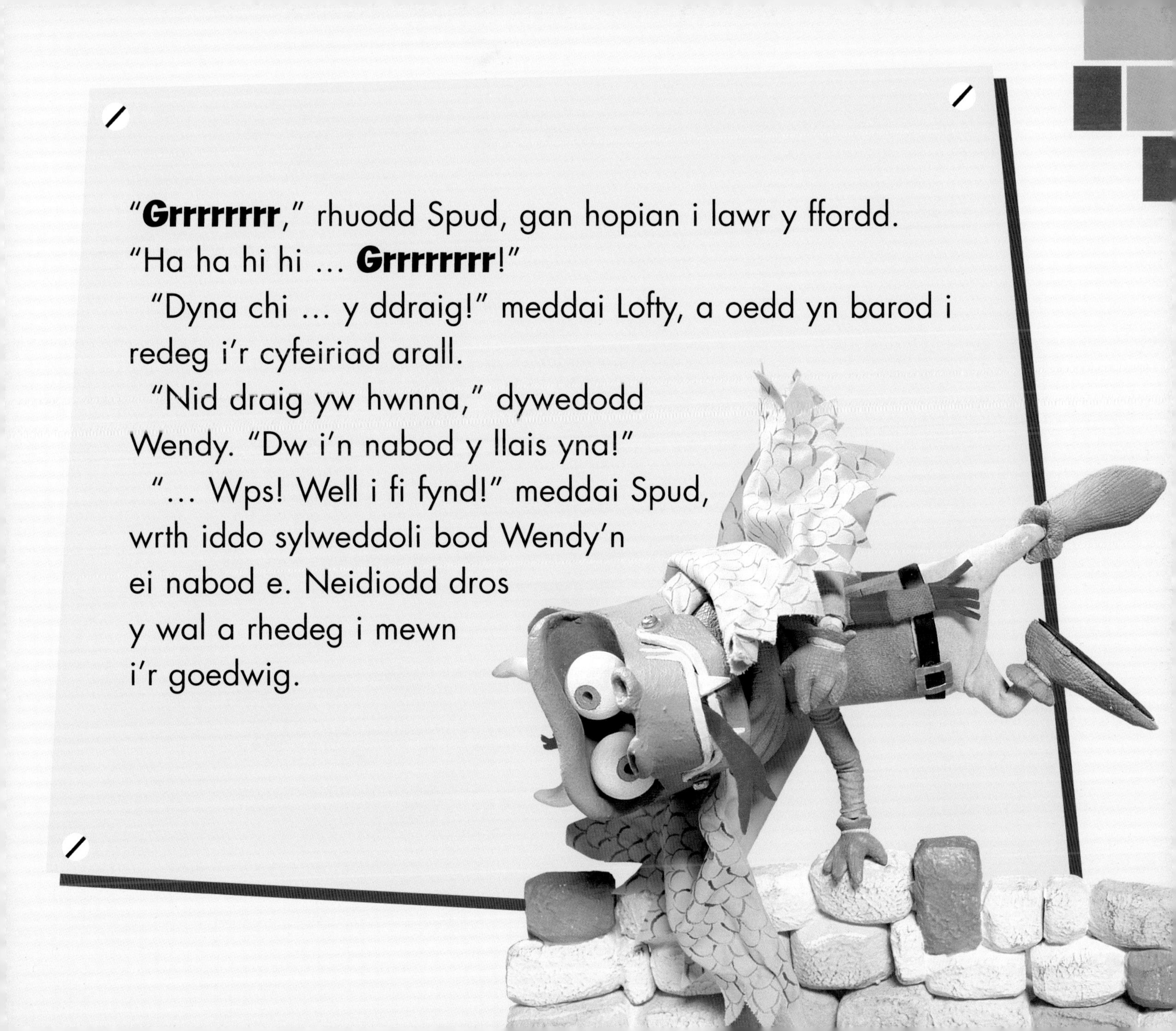

"**Grrrrrrr**," rhuodd Spud, gan hopian i lawr y ffordd. "Ha ha hi hi ... **Grrrrrrr**!"

"Dyna chi ... y ddraig!" meddai Lofty, a oedd yn barod i redeg i'r cyfeiriad arall.

"Nid draig yw hwnna," dywedodd Wendy. "Dw i'n nabod y llais yna!"

"... Wps! Well i fi fynd!" meddai Spud, wrth iddo sylweddoli bod Wendy'n ei nabod e. Neidiodd dros y wal a rhedeg i mewn i'r goedwig.

"Dewch, ar ei ôl e!" galwodd Wendy.

Rhedodd Bob a Wendy drwy'r goedwig ar ôl y ddraig, gan neidio dros foncyffion a rhedeg rhwng y coed.

Wrth i'r ddraig redeg, rhwygodd y canghennau fwy a mwy o'i wisg, ac yna …

"**Woaaaaa!**" galwodd y ddraig wrth faglu. Disgynnodd y mwgwd.

"Aha! Roeddwn i'n iawn," meddai Wendy. "Spud yw e!"

Aeth Wendy, Spud a Bob yn ôl i fuarth yr ysgol i ddweud wrth Mrs Percival beth oedd wedi digwydd.

"Fy ngwisg draig i!" dywedodd. "Does dim amser i'w thrwsio hi cyn y sioe heno."

"O, mae'n flin iawn gyda fi, Mrs Percival," dywedodd Spud, gan edrych yn drist ar y llawr.

"Arhoswch – mae syniad gyda fi!" dywedodd Wendy gan redeg allan o fuarth yr ysgol.

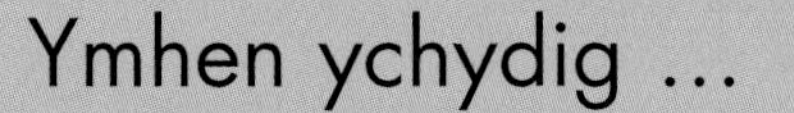

Ymhen ychydig …

“Helô, bawb!” rhuodd llais yn ymyl y glwyd.

Wendy oedd yno, yn y wisg ddraig. Roedd Wendy wedi defnyddio peth o’r defnydd yn atig Mrs Potts i drwsio’r wisg ac felly roedd hi’n edrych fel newydd – a’r un mor frawychus hefyd. Roedd hi mor frawychus, edrychodd Spud arni a sgrechian.

“**Aaaaaaaa! Draig go iawn!**” gwaeddodd, gan redeg o’r buarth.

“Dere’n ôl, Spud!” galwodd Wendy.

"Cuddiwch, bawb, cuddiwch!" sgrechiodd Spud, gan redeg i lawr y ffordd.

"O diar," meddai Wendy, wrth iddi dynnu'r mwgwd.

"Dim ond fi sy yma, Spud!"

Y Diwedd